Globule
la petite sangsue

Globule
la petite sangsue

Jean-Pierre Dubé

Illustrations de Tristan Demers

COLLECTION
Le chat & la souris

ÉDITIONS
MICHEL
QUINTIN

Données de catalogage avant publication (Canada)

Dubé, Jean-Pierre

  Globule la petite sangsue

  (Le chat et la souris : 7)
  Pour enfants de 7 ans.

  ISBN 2-89435-156-9

  I. Demers, Tristan, 1972- .   II. Titre. III. Collection :
  Chat et la souris (Waterloo, Québec) ; 7.

PS8557.U224G57 2001   jC843'.6   C2001-940348-8
PS9557.U224G57 2001
PZ23.D82Glo 2001

Révision linguistique: Monique Herbeuval
Conception graphique: Standish Communications
Infographie: Tecni-Chrome

La publication de cet ouvrage a été réalisée grâce au
soutien financier de la SODEC et du Conseil des Arts du
Canada. De plus, les Éditions Michel Quintin bénéficient de
l'aide financière du gouvernement du Canada par l'entremise
du Programme d'aide au développement de l'industrie de
l'édition (PADIÉ) pour leurs activités d'édition.

ISBN 2-89435-156-9
Dépôt légal - Bibliothèque nationale du Québec, 2001
Dépôt légal - Bibliothèque nationale du Canada, 2001

© Copyright 2001
Éditions Michel Quintin
C.P. 340, Waterloo (Québec)
Canada J0E 2N0
Tél.:   (450) 539-3774
Téléc.: (450) 539-4905
Courriel: mquintin@sympatico.ca

1 2 3 4 5 6 7 8 9 0 M L 5 4 3 2 1
Imprimé au Canada

Chapitre 1

La balade

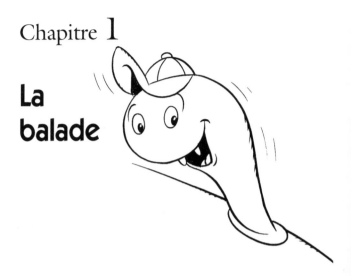

Globule était né dans les eaux froides et calmes d'un grand lac. De couleur noirâtre, son corps aplati se terminait à chaque extrémité par une ventouse. Il possédait de minuscules yeux rieurs et une mignonne petite bouche garnie de plaques dentées, les dents des sangsues.

Comme tous les bébés sangsues de son espèce, il passait les premières semaines de sa vie accroché au ventre de sa mère. Heureux, il se laissait porter dans les eaux limpides du lac. C'était merveilleux.

Un beau matin, alors que sa mère Héma se nourrissait aux dépens d'un jeune faon venu étancher sa soif, Globule entendit une petite voix :

— Salut, comment t'appelles-tu ?

Étonné, il releva la tête et vit, tout près, un autre bébé sangsue fixé lui aussi à sa mère.

— Bonjour, je m'appelle Globule, et toi ?

— Moi, c'est Plaquette. Tu demeures dans le coin?

— Oui, on habite là-bas, près de la rive. Il y a longtemps que tu es accrochée au ventre de ta mère?

— Depuis que je suis née, comme toi, j'imagine! C'est un peu ennuyant à la longue,

tu ne trouves pas? questionna
Plaquette.

— Non, moi, je suis bien. Je
regarde défiler le paysage. Je me
sens en sécurité sous ma maman.

— Mais tu ne vas pas rester suspendu à ses jupes comme un bébé toute ta vie !

— Je ne suis pas un bébé, s'offusqua Globule.

— Non? alors, viens faire un tour avec moi.

— As-tu déjà quitté ta mère, Plaquette?

— Non, mais nous sommes assez grands maintenant. Puis j'ai envie de partir à l'aventure.

— Je ne sais pas si je peux.

— Tu as peur! Tu n'es qu'une poule mouillée, poule mouillée!

— NON! Je ne suis pas une poule, même si je ne sais pas ce

que c'est. Et bien sûr que je suis mouillé, nous vivons dans l'eau. Je n'ai pas peur, mais je ne crois pas que ma maman voudra.

— Elles ne se rendront compte de rien. Elles sont bien trop occupées à se gaver de sang. Et on sera de retour avant la fin du repas.

Indécis, Globule regarda sa mère qui, concentrée sur son déjeuner, n'avait rien remarqué. Il hésitait mais, comme il ne voulait pas perdre la face devant Plaquette, il acquiesça.

— Bon, d'accord, mais on n'ira pas trop loin, dis?

— Promis! Tout près d'ici, il y a une petite plage pleine de cailloux de toutes les couleurs. C'est magnifique, tu verras!

Rompant le lien qui les rattachait à leurs mères respectives, Globule et sa nouvelle copine se mirent à nager côte à côte. Leurs petits corps aplatis fendaient l'eau avec aisance. Cela plaisait beaucoup à Globule de se mouvoir ainsi en toute liberté dans son milieu. L'inquiétude du début céda la place à l'excitation.

— Wow! C'est super de nager tout seul.

— Regarde, Globule, une forêt d'algues. On joue à cache-cache?

Sans attendre sa réponse, Plaquette plongea dans la forêt

en zigzaguant avec adresse entre les plantes aquatiques, laissant Globule bouche bée.

Il la rejoignit et ils se pourchassèrent à qui mieux`mieux. Tapies au fond du lac, leurs coquilles entrebâillées, des moules d'eau douce se refermèrent vivement sur leur passage.

Bientôt Plaquette et Globule quittèrent le champ d'algues et s'amusèrent à frôler le fond vaseux pour y soulever à tour de rôle de petits nuages de poussière dans une chorégraphie digne des plus grands ballets. Ils poursuivirent ainsi leur balade une bonne partie de la matinée. Que la vie était donc belle !

Chapitre 2

C'est incroyablement bon !

Nos deux amis, qui avaient perdu toute notion de temps, se promenaient doucement entre les rochers, lorsque la faim commença à les tenailler. En se séparant de leur maman, ils avaient quitté leur approvisionnement en nourriture ! Globule en eut même des crampes d'estomac. Il se tourna vers Plaquette :

— Dis donc, tu n'as pas faim, toi ?

— Oh si, je meurs d'envie d'une bonne gorgée de sang bien chaud. Mais… attends un peu… Tu n'as pas l'impression que… On dirait…

— Oui, tu as raison. Je le sens, il y a un repas pas très loin d'ici.

En effet, au bout du quai, un jeune garçon se trempait les pieds dans l'eau. Plaquette et Globule avaient détecté sa présence. Ils s'approchèrent du petit humain sans se faire voir.

— Vas-y, Globule ! Tu n'as qu'à le mordre et à boire son sang, l'encouragea Plaquette.

— Tu l'as déjà fait, toi ?

— Non, mais j'ai souvent observé ma maman. Tu poses ta ventouse et tu perces la peau avec tes dents. C'est simple !

Globule regarda la peau blanche et recula un peu.

— Tu crois que ça lui fera mal? demanda-t-il.

— Mais non, idiot. On est tout petits. Lui, c'est un géant, il ne sentira rien. Allez! Vas-y!

— Et pourquoi pas toi d'abord, puisque tu es si brave?

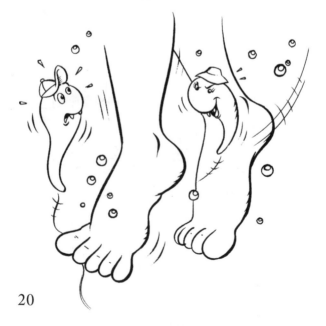

— Parce que… parce que… parce que c'est moi qui l'ai découvert la première, ce qui me donne le choix d'y aller avant ou après toi!

— Belle excuse! Bon, attention, j'y vais, avertit Globule.

Et il appliqua avec précaution sa ventouse sur la peau tendre du garçon.

— Qu'est-ce que je fais, maintenant?

Plaquette le regarda d'un air découragé.

— Globule, tu dois te servir de ta ventouse avant. Et pas de celle de derrière, nigaud! À moins que tu ne te nourrisses par les pieds!!!

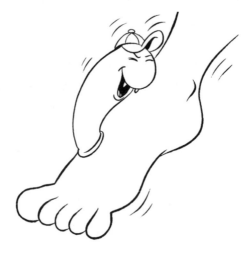

— C'est facile à dire ! Je n'ai jamais fait ça, moi ! protesta Globule. Avant de te rencontrer, j'étais bien installé sous ma mère qui me nourrissait et ne me traitait pas de nigaud, elle !

— Oh, ne te fâche pas, Globule. Je blaguais, c'est tout ! Allez, mets ta ventouse et perce la peau.

Globule grommela mais s'exécuta quand même. Aussitôt la

première gorgée avalée, il éprouva une sensation de bien-être bien supérieure à tout ce qu'il avait connu jusqu'à présent. Plaquette, qui avait imité Globule, tourna les yeux vers lui en disant :

— C'est incroyablement bon, n'est-ce pas ?

— Bon? Fabuleux tu veux dire! Juste à la bonne température et pas trop oxygéné!

Ils se délectèrent ainsi sous la lumière du soleil qui pénétrait la surface de l'eau. Le garçon ne se rendit même pas compte qu'il faisait les frais d'une dégustation. Tout à coup, un bruit de moteur se fit entendre au loin. L'enfant leva la tête et aperçut la chaloupe de son père qui venait dans sa direction. Avant que Globule et Plaquette aient le temps de réagir, le garçon se redressa. Il remarqua alors les deux sangsues accrochées à ses chevilles. Il poussa un hurlement

tout en sautillant pour se débar-
rasser d'elles.

Effrayés, nos deux amis, qui
n'avaient jamais fait l'expérience

de respirer à l'air libre, se mirent
à crier de toutes leurs forces. Puis
ils lâchèrent prise et tombèrent
sur le quai dont les planches,

réchauffées par le soleil ardent, leur brûlèrent la peau. Nouveaux hurlements! Ils eurent soudain l'impression de rôtir vivants!

Chapitre 3

Le monstre

Globule et Plaquette se tordaient de douleur sur les planches brûlantes du quai mais, à force de contractions et d'extensions de leurs petits corps, ils réussirent à se glisser jusqu'au bord du quai et à se jeter à l'eau. L'eau froide du lac les soulagea instantanément.

— Ça va, Plaquette? Dis, ça va? demanda son ami inquiet.

— Oui, enfin… je crois. Je n'ai jamais eu aussi peur ni aussi mal de toute ma vie.

— Moi non plus, répliqua Globule. Allez, on rentre à la maison. Il est très tard, nos mamans vont s'inquiéter.

— Oui, d'accord. Je crois qu'on a eu assez d'émotions

pour notre première journée de liberté.

Ils nagèrent en silence vers leur territoire. Ils traversèrent la forêt d'algues en sens inverse, se souciant peu des moules qui répétèrent leur manège de tout à l'heure. Ils suivaient tranquillement un groupe de petits poissons, lorsque ceux-ci s'enfuirent subitement dans toutes les directions. Globule, qui était devant, se retourna et vit une ombre immense fondre sur eux.

L'ombre se précisa et une grande bouche garnie d'innombrables dents apparut soudainement juste derrière Plaquette. Globule hurla :

— Plaquette ! ATTENTION !

Trop tard ! Il vit avec horreur le brochet refermer ses mâchoires sur la petite sangsue et l'avaler

d'un trait. Le monstre se dirigea
alors vers lui. Terrifié, Globule
nageait de toutes ses petites
forces vers le bord du lac, la
gueule de son attaquant à quelques millimètres de lui.

Comme le brochet donnait un
dernier coup de nageoire pour
l'attraper, Globule se glissa dans

une fente entre deux rochers. Il n'en menait pas large. Tremblant de tout son corps, il se sentait défaillir. Ces émotions fortes, la mort de Plaquette surtout, l'avaient beaucoup secoué. Affaibli, il se maintenait à grand-peine hors de portée de l'énorme poisson. Il savait qu'il ne pourrait plus résister longtemps. C'est alors que le brochet fit mine de s'éloigner. Au bout de plusieurs minutes, Globule se risqua à sortir la tête par l'ouverture. Il ne voyait aux alentours que des petits poissons et des moules aux coquilles entrouvertes. Rassemblant tout

son courage, il s'élança hors de sa cachette.

Erreur! Le brochet, fin prédateur, s'était tapi derrière un vieux bout de bois. Il fonça aussitôt sur lui. Déjà épuisé par sa course effrénée, Globule n'avait plus aucune chance de le distancer. Il décida de se laisser flotter sans plus offrir de résistance. Il sentit les dents effilées de son poursuivant lui chatouiller la peau. Il ferma les yeux. Il songea à sa maman et se dit qu'il irait bientôt rejoindre Plaquette au paradis des sangsues.

Chapitre 4

Héma à la rescousse

Un choc brutal sortit Globule de sa torpeur. Au moment même où les dents risquaient de le couper en deux, il fut brutalement propulsé hors d'atteinte des mâchoires du monstre.

Quand il reprit complètement ses esprits, sa maman l'emmenait à toute allure vers les rochers du rivage. Elle venait de lui sauver la vie, mais la situation demeurait critique. Malgré toute sa bravoure, Héma pouvait difficilement échapper au gros poisson. Son seul espoir était d'atteindre les rochers pour s'y faufiler. Mais le brochet, fort de son expérience avec Globule, lui coupait la route de ce côté et s'approchait dangereusement.

Héma serra son fils contre elle. Il fallait trouver une solution et vite. Un mouvement au-dessus d'elle lui fit lever la tête. Une truite arc-en-ciel passait en nageant nonchalamment. Héma réagit alors à la vitesse de l'éclair.

— Globule, prépare-toi à appliquer tes ventouses, cria-t-elle.

Dans l'instant, entraînant Globule à sa suite, Héma obliqua vers le haut et fila vers la truite. Le brochet devina aussitôt ses

intentions et fonça, lui aussi, vers l'autre poisson.

— Tiens-toi bien, Globule, ça va donner un grand coup !

Lorsque la truite aperçut le prédateur dans son sillage, elle détala sans perdre une minute. La secousse fut terrible. Nos deux sangsues eurent tout juste le temps de se fixer à son ventre.

Excellente nageuse, la truite prit rapidement de la vitesse, laissant le brochet, un peu lourdaud, loin derrière. Fou de rage en voyant ses proies lui échapper, il repartit alors vers la forêt d'algues. Au passage, il en déchiqueta une bonne demi-douzaine, tandis que la truite poursuivait sa course sans ralentir.

Héma dut se résigner.

— Globule, il faut nous détacher de la truite, sinon elle nous emportera trop loin.

— Attends, maman, je ne suis pas prêt.

— Il faut y aller Globule. Attention, un, deux, trois… Vas-y, relâche tes ventouses.

Globule et Héma se séparèrent de la truite. Mais la vive allure du poisson les entraîna dans un tourbillon. Héma se redressa

rapidement mais Globule, tout étourdi, alla percuter de plein fouet un gros rocher. Assommé, il coula à pic. Sa mère se précipita vers lui.

— Globule, ça va? lui demanda-t-elle, inquiète. Globule, réponds-moi!

Chapitre 5

Globule sur le dos

Le docteur Caillot arriva en trombe chez Héma qui le conduisit aussitôt dans la chambre de son fils. Le médecin ouvrit sa trousse et examina la petite sangsue avec douceur. De temps à autre, il murmurait des «Hum! Hum!».

Lorsqu'il eut terminé, il remonta la couverture sur Globule.

Puis, il s'adressa à Héma qui, tout ce temps, était demeurée immobile dans un coin de la chambre.

— Votre fils a été rudement secoué. C'est ce qui explique son état…

— Mais il a l'air à moitié mort, l'interrompit Héma.

— Nous, les médecins, nous appelons cela un état semi-comateux. Mais n'ayez crainte, sa vie n'est pas en danger.

Héma poussa un gros soupir et le docteur poursuivit :

— Votre enfant se réveillera quand son organisme aura repris le dessus. C'est une question de temps.

— Bon sang de bon sang ! s'exclama Héma. Mais combien de temps va-t-il rester ainsi ?

— C'est difficile à dire. Il peut revenir à lui dans quelques heures ou dans quelques jours. Il faut être patient. Prenez bien soin de votre charmant enfant, madame.

— Charmant, vous dites ? Imprudent, oui ! Il a voulu vivre des émotions fortes et voilà ce que ça donne. Ah, les enfants !

On a beau suer sang et eau pour leur éviter les ennuis, ils réussissent quand même à y plonger tête baissée.

— Je vous en prie, ne vous faites pas trop de mauvais sang. Ayez confiance. Bientôt Globule nagera partout et déplacera de nouveau beaucoup d'eau.

Avant de partir, le médecin ajouta :

— Je repasserai demain matin. Entre-temps, s'il reprend conscience, appelez-moi immédiatement.

— D'accord, docteur. Au revoir et merci !

Héma revint auprès de son fils. Elle toucha son front glacé. Globule, les yeux fermés, remuait

la tête et marmonnait des mots incompréhensibles.

— Chut! mon chéri, il n'y a plus de danger, lui murmura-t-elle.

Héma le veilla toute la nuit, et la nuit du lendemain et celle du surlendemain, sans que l'état de Globule s'améliore vraiment. Le docteur Caillot, qui passait tous les jours, se montrait pourtant rassurant.

— Croyez-moi, madame, votre fils se rétablit tranquillement, affirmait-il.

Chapitre 6

Ce matin-là, Héma se réveilla plus tard que d'habitude.

«Bon sang, j'ai fait la grasse matinée!» se dit-elle en se frottant les yeux.

Son regard tomba sur le lit de Globule. Il était vide!! Elle crut que son coeur allait cesser de battre. Son petit chenapan était bien capable d'être allé se remettre les ventouses dans les plats. Elle se rendit à toute vitesse dans la cuisine où la voix de son fils l'accueillit.

— Bonjour maman, tu as bien dormi? Sais-tu que tu as ronflé toute la nuit? Un vrai bruit d'enfer.

Héma était tellement surprise qu'elle n'arrivait pas à dire un

mot. Globule la regardait tranquillement, comme s'il ne s'était rien passé. Enfin, elle s'exclama :

— Tu es sorti du coma !

— Non, corrigea-t-il, je suis sorti de ma chambre, et sur la pointe des ventouses, pour ne pas te réveiller. Au fait, pourquoi as-tu dormi dans ma chambre ?

— Je t'expliquerai plus tard. Il faut tout d'abord que j'appelle le docteur, dit Héma. Il va être content de te voir.

— Le docteur ? Pourquoi ? Je ne suis pas malade !

En effet, Globule était presque complètement guéri. Après quelques jours, il retrouva la mémoire. Alors, il frémit en repensant au danger auquel il avait échappé. La pauvre Plaquette n'avait pas eu sa chance. Il se promit de toujours garder au fond de son coeur le souvenir de son amie d'un jour.

Globule ne le savait pas encore, mais cette petite escapade n'était qu'un début. Très bientôt, il serait entraîné dans une nouvelle aventure et il ferait la connaissance de celui qui deviendrait son meilleur ami.

Table des matières

La collection LE CHAT & LA SOURIS